J.K.羅琳

吟遊詩人
皮陀
故事集

林靜華　譯

J.K. ROWLING'S · WW · WIZARDING WORLD

J.K. ROWLING

THE TALES OF BEEDLE THE BARD

由妙麗・格蘭傑翻譯自古代的神秘文字

並搭配鄧不利多教授的獨到註解

LUMOS

Protecting Children. Providing Solutions.

非常具有原創性……意外地令人滿足！

——週日泰晤士報——

令人著迷的故事，作者飽含智慧與審慎的自信之作，

讓父母與孩子都上了一課。

——週日快遞報——

這些故事洋溢著《哈利波特》的讀者們

所熟悉的大膽、諷刺性的幽默。

——金融時報——

錯綜複雜還附帶註解的圈內人笑話，

緊緊吸住每一個《哈利波特》粉絲的目光。

——觀察家——

這些故事富有原創性、多樣性、風趣，

而且充滿智慧……是個令人享受的故事饗宴。

——收藏家雙月刊——

Contents

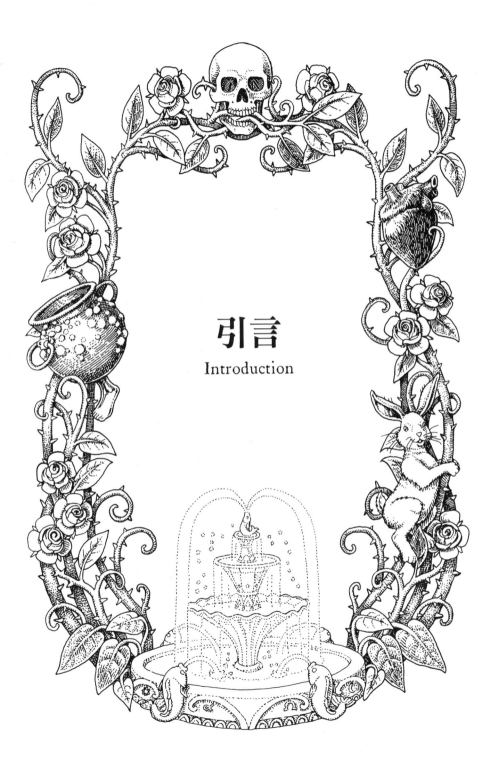

引言

Introduction

　　《吟遊詩人皮陀故事集》是為年輕的巫師與女巫
而寫的故事，數百年來一直是普受歡迎的睡前讀物。許
多霍格華茲的學子對於其中的〈跳跳鍋〉和〈幸運泉〉
的熟悉程度，可說與麻瓜（沒有魔法的凡人）兒童對
〈灰姑娘〉和〈睡美人〉的熟悉程度不相上下。

　　皮陀的故事在許多方面和我們的童話故事相似，
例如：善有善報、惡有惡報。但其中有個非常明顯的差
異，在麻瓜的童話故事中，魔法往往是故事中男女主角
遇難的根源──邪惡的女巫在蘋果上下毒，或者陷害公
主昏睡百年，或者把王子變成可怕的野獸。相反的，在
《吟遊詩人皮陀故事集》中，我們見到會施魔法的男女
主角，但他們也和我們一樣無法解決自己的困難。皮陀
的故事幫助了一代又一代的魔法界父母，向他們的年幼
子女解釋這個生命中的痛苦事實，也就是：魔法能解決
麻煩，但也能製造麻煩。

這些寓言與麻瓜童話兩者間還有一個顯著的差別。皮陀筆下的女巫，比我們童話故事中的女主角更積極追求她們的幸福。阿夏、阿蒂妲、阿瑪塔以及巴比兔迪迪，都是掌握著自己命運的女巫，而不是老在睡懶覺，或坐等別人把遺失的鞋送回來。不過這個法則也有個例外──〈魔法師的毛茸茸心臟〉故事中的無名少女，就比較像我們的童話故事中的公主，但她的故事結局並沒有「從此過著幸福快樂的生活」。

吟遊詩人皮陀生於十五世紀，他的大半生依舊是個謎。我們知道他出生於約克郡，現今僅存的木版畫顯示他留了一臉非常漂亮的鬍子。假如他的故事真實反映了他的觀點，那麼他是相當喜歡麻瓜的。他認為他們無知但沒有惡意。他不信任黑魔法，同時他相信，若出於殘酷、冷漠或傲慢這些過度人性的特點而大量使用魔法，便是濫用他們的才能。他的故事中最

後獲勝的男女主角都不是擁有超強魔法的人，而是那些最有愛心、常識最豐富，又最有聰明才智的人。

和他持相同見解的當代巫師，當屬阿不思‧博知維‧巫服利‧布萊恩‧鄧不利多——梅林勳章（第一級）、霍格華茲魔法與巫術學校校長、國際巫師組織最高評議長，以及巫審加碼首席魔法師。儘管看法一致，但是當人們從存放鄧不利多遺言的霍格華茲檔案室的諸多文件中，發現一批關於《吟遊詩人皮陀故事集》的筆記時，仍大為驚訝。這些筆記是他寫給自己看的，抑或為將來出版而寫，我們不得而知；但我們已經獲得麥教授——現任霍格華茲校長——的許可，在此將鄧不利多教授的這批筆記，連同妙麗‧格蘭傑對這幾篇故事的全新譯本一併付印。我們希望鄧不利多教授的見解——包括他對魔法史的觀察、個人的回憶，以及對每則故事的綱要所透露發人深省的訊息，

都有助於新一代魔法界與麻瓜界讀者欣賞《吟遊詩人皮陀故事集》。所有認識他的人都相信，鄧不利多教授會很樂意支持這項計畫，因為所有版稅收入都將全數捐給為亟須關注的兒童謀福利的慈善機構Lumos基金會。

這裡似乎應該對鄧不利多教授的筆記再做點說明。就我們所知，這些筆記是鄧不利多教授在霍格華茲天文塔上的悲劇發生前十八個月左右完成的。那些熟知最近這段魔法戰爭史的人（譬如：讀過《哈利波特》全七集的人），都知道鄧不利多教授對本書最後一則故事所透露的，幾乎和他所知道——或懷疑——的一樣多。之所以有任何遺漏的原因，或許可以從鄧不利多在多年以前對他最欣賞、也最有名的學生所說的事實真相看出端倪：

「這是一件美麗卻也十分可怕的事，因此我們在面對它的時候，必須特別謹慎。」

無論同不同意他這句話，我們都能體諒鄧不利多教授希望保護未來的讀者，不被那些曾經使他痛苦、並付出慘痛代價的誘惑所害的心願。

J.K.羅琳

二〇〇八年

關於附註

這批筆記似乎是鄧不利多專為魔法界讀者而寫，因此我偶爾會穿插一些有必要為麻瓜讀者澄清的詞語解釋或事實真相。

J.K.羅琳

I.

巫師
與
跳跳鍋

The Wizard
and the
Hopping Pot

　　從前有位善良的老巫師，他經常慷慨而巧妙地使用他的魔法來幫助鄰居。他從不透露魔法的真正來源，而是假裝他的魔藥、符咒和解毒劑都是從他的幸運鍋裡蹦出來的。鄰近方圓數英里的居民有困難時都會來找他，巫師也總是樂意在他的小鍋內攪一攪，解決他們的困難。

　　這位廣受愛戴的巫師在活了很長的歲數之後去世了，將所有動產全部遺留給他的獨生子。這個兒子的性情和他慈善的父親大不相同，在他心目中，那些不會魔法的人都是沒用的人，也常因父親習慣使用魔法幫助鄰

居而和他發生爭執。

父親去世之後，兒子在這個舊燉鍋裡發現了一個寫著他名字的小包裹。他滿心期待裡面會是黃金，打開來看後，卻發現是隻又軟又厚的拖鞋，小到他穿不下，而且也不成雙。拖鞋內還有一小塊羊皮紙，寫著：「吾兒，衷心希望你永遠用不上它」。

這個兒子咒罵他父親老邁痴呆後，便把拖鞋扔回鍋內，決定把這鍋子當作垃圾桶。

當天晚上，有個農婦來敲門。

「先生，我孫女身上長了瘤，非常痛苦，」她對他說，「令尊曾經從那個舊鍋裡調出一種特別的藥膏——」

「去！」兒子大聲說道，「妳家乳臭未乾的小孩長了瘤，又干我什麼事？」

　然後，他便當著老婦人的面用力把門關上。

　這時，他的廚房立刻傳出乒乒乓乓、哐啷哐啷的噪音。巫師點亮他的魔杖開門一看，頓時大吃一驚。他看見父親的舊燉鍋長出一隻銅腳，正在廚房的石板地上一跳一跳，鬧出可怕的聲響。巫師好奇地趨近一看，卻急忙又往後退，原來鍋子的表面竟長滿了瘤。

　「噁心的東西！」他大聲地叫道，然後先是用符咒想讓鍋子消失，接著想把它清洗乾淨，最後想迫使它

離開屋子，但他的咒語都不管用。同時他也無法阻止鍋子跟隨在他身後跳出廚房，又跟著他跳上床，每跳上一層木梯就發出乒乒乓乓、哐啷哐啷的聲響。

長滿瘤的舊鍋子就在巫師的床邊乒乒乓乓跳著，害得他整夜都無法入睡。第二天早上，鍋子依舊緊跟著他跳向餐桌。銅腳鍋**啷、啷、啷**地跳著，巫師還來不及開始喝粥，此時又傳來敲門聲。

有位老翁站在門口。

「先生，我的老驢子，」他說，「牠走失了，或是被偷了。沒有牠的話，我就沒辦法把我的陶器運到市場上去賣，我的家人今晚要挨餓了。」

「我現在也正在挨餓呢！」巫師大吼了一聲，在老翁面前用力把門關上。

啷，啷，啷，燉鍋用一隻腳在地上跳，但現在的喧鬧聲中，又多了驢叫聲和人類飢餓的呻吟聲，從鍋

裡不斷傳出來。

「停止，安靜！」巫師尖聲大叫，但他的魔法怎麼也不能讓長瘤的鍋子安靜下來。它整天跟在他腳跟後一跳一跳，無論他走到哪裡或做什麼事，它總是發出驢叫聲、呻吟聲，還有哐啷哐啷的響聲。

那天晚上又有第三個人來敲門。在門檻外面，站著一名哭泣抽噎的少婦，悲傷得彷彿她的心都要碎了。

「我的寶寶生重病了，」她說，「請你救救我們好嗎？令尊說假如我遇到困難可以來──」

但是巫師在她面前用力把門關上。

這時那折磨人的鍋子突然裝滿鹹鹹的淚水，它跳動時，淚水便溢出灑在地上，同時還有不絕於耳的驢叫聲和呻吟聲，並且又長出更多的瘤。

那個星期雖然再也沒有村民前來
巫師的小屋求助，但跳跳鍋仍舊繼續
讓他知道他們的許多疾苦。幾天後，
它不但發出驢叫聲、呻吟聲、灑出淚
水、不停跳動、長出更多的瘤，同時還發出呼吸困難和
乾嘔聲、嬰兒般的嚶嚶哭泣、狗一般的哀鳴，又吐出臭
起司、酸牛奶，和大量飢餓的蛞蝓。

跳跳鍋緊跟著巫師，害他不能睡也不能吃。但是
跳跳鍋說什麼也不肯離開，他又無法使鍋子安靜或強迫
它靜止不動。

最後，巫師再也無法忍受了。

「把你們所有的問題、煩惱和痛苦都交給我吧！」
他大吼大叫逃進夜色中。跳跳鍋亦步亦趨地跟在他身後
沿路跳進村子裡。「來吧！讓我醫治你們、療癒你們、
安慰你們！我有家父的燉鍋，我會幫你們解決問題！」

　　骯髒的鍋子緊跟在巫師後面一跳一跳。他衝上街，往四面八方施展魔咒。

　　某間屋子裡，有個小女孩身上長的瘤在她睡夢中消失了；走失的驢子從遠方長滿野薔薇的農地被召喚咒召回，靜靜回到牠的驢廄睡覺；生病的嬰兒被浸泡在薄荷花水中，醒來後病都痊癒了，臉色又恢復紅潤。

　　每個生病與哀傷的家庭，巫師都盡其所能地救助他們，漸漸地，緊跟在旁的燉鍋停止呻吟和乾嘔，變得安靜、晶亮而乾淨。

　　「如何？跳跳鍋？」當朝陽開始升起時，顫抖的巫師問道。

　　跳跳鍋打個嗝，把巫師扔進的拖鞋吐出來，讓他把它穿在那隻銅腳上，然後他們一起回到巫師的家。跳跳鍋的腳步總算安靜無聲了。然而從那天起，巫師便開始像他父親從前那樣救助村民，免得跳跳鍋又脫下它的拖鞋，再次開始跳動。

阿不思・鄧不利多的話：

　　有位善良的老巫師決定給他缺乏同情心的兒子一個教訓，讓他也嘗嘗當地麻瓜的痛苦。最後這位年輕的巫師良心發現，同意使用魔法幫助那些不會魔法的鄰居。你也許會認為這是一則簡單而感人的寓言——如果這樣想，就表示你是個天真的傻子。一則親近麻瓜的故事，就表示一個愛麻瓜的父親的魔法勝過他討厭麻瓜的兒子嗎？而這個故事的任何一個原始版本居然能不斷地浴火倖存，簡直令人嘖嘖稱奇。

　　皮陀倡議對麻瓜要有兄弟愛，這與他的時代多少有些不協調。十五世紀初，歐洲各地無不加強對女巫與巫師的迫害，魔法界

中有許多人認為——而且振振有詞——對麻瓜鄰居飼養的病豬施咒治療，就等於自告奮勇為自己的火葬添柴[1]。「讓麻瓜自生自滅！」是當時的呼聲，巫師們和他們的非魔法界弟兄因此漸行漸遠，直到一六八九年通過「國際巫師保密規章」後，行動達到最高潮，魔法界人士紛紛自願轉入地下。

但，孩子就是孩子，古怪的「跳跳鍋」使他們的腦子充滿想像力。解決的辦法就是拋棄親麻瓜的道德觀，但保留長瘤的燉鍋。這樣到了十六世紀中期，魔法界家庭又廣為流傳一個不同版本的故事。在這個修訂版的故事中，無辜的巫師受到手持火炬和乾草耙的鄰居威脅，「跳跳鍋」挺身而出保護他，將村民趕出巫師的木屋，並把他們都抓起來生吞下去。到了故事最後，「跳跳鍋」已把大部分村民吞了下去，但還有少數剩餘村民，他們向巫師保證，從今以後他可以自由使用魔法，

不會再受打擾。為了回報村民，巫師指示「跳跳鍋」
把吞下的村民還給他們，「跳跳鍋」打了個嗝，把那
些村民吐出來，但此時他們已經有點血肉模糊了。直
到今天，有些魔法界兒童只從他們（通常是對麻瓜有
敵意的）的父母那裡聽過這則修訂版故事，至於原始
版本——假如他們有機會聽到——則讓他們感到非常
驚奇。

　　誠如我所暗示，〈巫師與跳跳鍋〉故事中的親麻
瓜情操並非激起公憤的唯一因素，隨著搜捕巫師的行動
日趨激烈，魔法界家庭開始過著雙重生活，利用隱藏咒
保護自己和他們的家人。到了十七世紀，任何一個選擇

---

1. 當然，貨真價實的女巫與巫師都擅長逃避火刑、斬首與絞刑（請參見我在〈巴
比兔迪迪和咯咯笑樹樁〉的讀後感中針對「兔子麗樹」所作的評論），然而許
多人還是難逃一死，譬如：尼古拉斯爵士（他在世時是位皇家巫師，死後成為
葛來分多塔的幽靈）先是被奪走魔杖，然後關進地牢，因此無法施展魔法逃避
死刑；魔法界家庭特別容易失去他們的幼年成員，因為他們沒有能力控制自己
的魔法，使他們很容易受到麻瓜緝巫手的注意與攻擊。

與麻瓜稱兄道弟的女巫與巫師都被視為嫌疑犯，甚至被他或她自己的團體驅逐。在諸多對親麻瓜的女巫與巫師的侮辱中（例如：「滾泥潭的」、「食糞的」、「吸渣滓的」這些耐人尋味的綽號都源自那個時期），有一條便是指控他們削弱或敗壞魔法。

當時一些具有影響力的巫師，例如：反麻瓜期刊《巫師大戰》的編輯布魯特‧馬份，便將「麻瓜熱幾乎和爆竹²一樣不可思議」的陳腔濫調變為不朽名言。布魯特在一六七五年這樣寫道：

我們可以肯定地這樣說：任何對麻瓜界表示友好的巫師都是智能不足，他的魔法力量薄弱可笑，只有和麻瓜豬在一起，他才會覺得高人一等。

沒有比偏愛與麻瓜交往更能突顯薄弱魔法的行為。

但因有壓倒性證據顯示，一些聞名於世的傑出巫師[3]都是——套句俗話——「麻瓜迷」，這種偏見才逐漸銷聲匿跡。

今天，某些特定人士依舊堅決反對〈巫師與跳跳鍋〉的故事。聲名狼藉的《毒蕈故事集》作者碧翠絲・布洛森（一七九四～一九一○年）將這個概念陳述得最好。布洛森太太認為《吟遊詩人皮陀故事集》戕害兒童心靈，她說這些故事「以最恐怖的主題，例如：死亡、疾病、殺戮、黑魔法、有害健康的角色、從身體滲出體液，以及許多最噁心的猛爆性疾病，為他們帶來不健康的先入為主觀念」。布洛森太太把許多古老的故事，包括數則皮陀的故事，根據自己的理想重新改寫。她宣稱

2. 〔爆竹是生在魔法家庭、卻不具魔法力量的人。這種情況很少見，麻瓜出身的女巫與巫師倒比較常見。J.K. 羅琳〕

3. 例如：我本人。

這是為了「使我們的小天使純潔的心靈充滿健康、快樂的思想，使他們甜美的睡眠不受惡夢干擾，保護他們的天真無邪而珍貴的花朵」。

布洛森太太所改寫過純潔而珍貴的〈巫師與跳跳鍋〉最後一段是這樣寫的：

然後金色的小鍋鍋踮起它小小的粉紅色腳趾高興地跳舞──跳啊，跳啊，跳的！──小威威治好了所有小娃娃可憐的小肚肚，小鍋鍋好快樂，為小威威和小娃娃變出滿滿一鍋的糖糖！

「但是別忘了要刷你們的小牙牙喔！」小鍋鍋大聲說。

於是我們的小威威親親跳跳鍋，並擁抱它，保證以後會永遠幫助小娃娃，再也不做個壞脾氣的討厭鬼了。

　　布洛森太太的故事從一代代魔法界兒童那裡得到相同的反應：不停地乾嘔，然後他們會立刻要求把書拿走，搗碎做成紙漿。

2.

幸運泉

The
Fountain of
Fair Fortune

　　從前有一座被施了魔法的花園，花園四周有高大的圍牆和強大的魔法保護著，園裡的山頂上有座流水潺潺的幸運泉。

　　每年白晝最長的那一天，在太陽升起到下山的這段時間內，會有個幸運兒能得到接近幸運泉的機會，並可以浸泡在泉水中，從此好運連連。

　　到了規定的那天，有好幾百人從全國各地長途跋涉，在天亮前抵達花園的圍牆外。男女老少不分貧富，不管有沒有魔法，都聚集在黑暗中，每個人都希望自己是那個能夠進入花園的人。

　　有三位女巫各自帶著她們的煩惱在人群外相遇，她們在等待太陽出現之際，彼此訴說自己的悲傷。

　　第一個女巫名叫阿夏，她患了治療師都無法治癒的疾病。她希望幸運泉能治好她的疾病，讓她過著長壽、快樂的生活。

　　第二個女巫名叫阿蒂妲，她的家、她的黃金和她的魔杖都被一個邪惡的魔法師搶走了，她希望幸運泉能幫助她擺脫法力薄弱與貧窮的困境。

　　第三個女巫名叫阿瑪塔，她被心愛的男人拋棄，她覺得自己那顆破碎的心再也無法修復了，她希望幸運泉能讓她不要繼續憂傷與日夜期待。

　　這三位同病相憐的女子彼此說好，一旦機會降臨，她們就要團結起來一起接近幸運泉。

　　第一道曙光從天上的雲縫中露出，圍牆開了一道裂縫，人群往前推擠，每個人都大聲呼喊，祈求幸運泉

的祝福。許多爬蟲從花園外蜿蜒穿過相互推擠的人潮，扭著身體圍繞在第一個女巫阿夏身邊。阿夏抓住第二個女巫阿蒂妲的手，阿蒂妲又緊緊抓住第三個女巫阿瑪塔的衣袍。

而阿瑪塔則不慎勾到一位表情悲戚的騎士的盔甲，這位騎士騎在一匹骨瘦如柴的馬背上。

爬蟲將三位女巫用力拉進圍牆的裂縫中，騎士也被拖下他的坐騎跟在她們身後。

失望群眾的憤怒叫喊聲充塞在清晨的空氣中，等花園圍牆的裂縫再度密合後，群眾憤怒的叫聲便沉寂了下來。

阿夏和阿蒂妲都很氣阿瑪

塔,因為,她竟然在無意中把騎士也帶進來了。

　　「只有一個人能泡在幸運泉中!光是我們三個就已經很難決定誰能成功了,更別提又多了一個人!」

　　此時,倒楣的爵士——花園外人人都這樣稱呼這位騎士——才發現她們三位都是女巫。而爵士既沒有魔法,也沒有任何了不起的馬上槍術比賽或比劍的本事,更沒有任何才幹能顯示他是個沒有魔法、但卻是個傑出的凡人,他確信自己一定沒辦法擊敗這三位女巫接近幸運泉,因此他宣布決定退出牆外。

　　這時,阿瑪塔也生氣了。

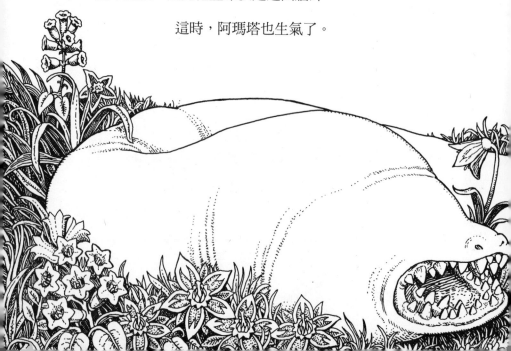

「軟弱的傢伙！」她斥責他，「騎士，

拔出你的劍，幫助我們達成目標吧！」

於是三位女巫和這位孤獨的騎士冒

險進入魔法花園。陽光普照的小徑兩旁

種滿許多罕見的藥草、水果和鮮花。他

們一路通行無阻，直抵幸運泉所在的

山腳下。

不料山腳下卻纏繞著一條臃

腫而目盲的巨大白蟲。當他們一

行人接近時，牠將自己那張髒

污的臉對著他們，說出以下這句話：

「向我證明你們的痛苦。」

倒楣爵士拔出他的劍想殺死這隻野獸，但他的劍立刻折斷。接著阿蒂妲朝巨蟲丟擲石塊，阿夏和阿瑪塔則試著射出任何可能降伏或把牠迷昏的符咒。但她們的魔杖力量並不比她們的朋友投出的石塊，或騎士的劍更有效，巨蟲不肯讓他們通過。

太陽越爬越高，阿夏絕望地哭了起來。

這時巨蟲將牠的臉貼在她臉上，喝下她臉上的淚水。巨蟲不再渴了之後，牠緩緩地爬到一旁，鑽進地上的一個洞裡消失了。

三位女巫與騎士看到巨蟲消失，興高采烈地爬上山，他們相信他們一定能在中午前抵達幸運泉。

但四人在陡峭的山坡上爬到一半時，他們看見前

面的地上刻著一行字：

把你們的辛勞成果交給我。

於是倒楣爵士拿出僅有的一枚銅板放在綠草如茵的山坡上，但它卻滾開消失了。三位女巫與騎士繼續往上爬，但他們雖然走了好幾個小時，卻一步也沒有前進。山頂並沒有因此離他們更近一點，而那一行字仍舊鐫刻在眼前的地上。

太陽從他們頭頂越過，開始朝遠方的地平線下沉。他們都很洩氣。但阿蒂姐比任何人都走得更快也更賣力，儘管她沒能爬上魔法山坡，但她仍勸告其他人也學她的樣子。

「朋友們，振作起來，不要屈服！」她大聲說道，一面擦拭眉毛上的汗水。

當汗水滴落地上，發出閃閃亮光時，阻擋他們去

路的那一行字消失了，他們發現又可以往上爬了。

他們很高興解除了第二個障礙，便盡快趕向山頂。終於，他們瞥見幸運泉了，在一處種滿鮮花與樹木的涼蔭下如水晶般熠熠閃爍著。

但他們一行人還沒抵達，就遇到一條環繞山頂的小溪擋住了他們的去路。清澈的溪水中有塊平滑的石頭，上面有一行字：

把你們過去的財寶交給我。

倒楣爵士試圖靠他的盾牌漂過小溪，但盾牌沉了下去。三位女巫把他從水中拉出來，然後試著自己跳過去，但小溪就是不肯讓她們通過。這時，天上的太陽又往下沉了一點。

他們只好開始揣摩石塊上那行字的意思。阿瑪塔是第一個想出來的人。她拿起魔杖，從她的心靈中抽出與離棄她的愛人相處時的所有快樂記憶，扔進

潺潺溪水中。小溪把她的記憶沖走了，踏腳石也消失了，三位女巫和騎士終於越過小溪來到山頂。

　　幸運泉在他們眼前閃爍，四周圍繞著比他們見過更罕見、更美麗的藥草與鮮花。天空染著豔麗的彤彩，決定誰能浸泡幸運泉的時刻到了。

　　但在他們決定前，孱弱的阿夏倒在地上，她因為奮力爬上山頂而精疲力盡，已經瀕臨死亡。

她的三個朋友想將她抬到幸運泉中，但阿夏非常痛苦，她哀求他們不要碰她。

阿蒂妲急忙去摘她認為有用的藥草，用倒楣爵士裝在葫蘆裡的水混合，將藥水灌進阿夏口中。

剎那間，阿夏能夠站起來了，更神奇的是，她那可怕疾病的所有症狀都消失了。

「我的病好了！」她大叫，「我不需要幸運泉了——讓阿蒂妲去泡水吧！」

但阿蒂妲這時忙著採摘更多藥草放進圍裙中。

「如果我能治好這種疾病，就能賺進許多黃金了！讓阿瑪塔去泡水吧！」

倒楣爵士一鞠躬，示意阿瑪塔靠近幸運泉，但她搖搖頭。小溪已沖走她的愛人帶給她的所有遺憾，現在她看清了他過去對她既殘忍又不忠實，能擺脫他就已經夠快樂了。

「好爵士，你一定要去泡水，這是你的騎士精神應得的獎賞！」她對倒楣爵士說。

於是騎士在夕陽餘暉中哐啷哐啷走向前，浸泡在幸運泉中，幾乎不敢相信自己竟是百中選一之人，並為這不可思議的好運而高興得暈陶陶地。

當太陽落到地平線以下的時候，倒楣爵士帶著一身勝利的光輝從水中出來。他把生鏽的盔甲扔在阿瑪塔腳下，她是他所見過最好心且最美麗的女人。他陶醉於這份成就中，當場便請求阿瑪塔把她的手和她的心都交給他。阿瑪塔非常地高興，她開始明白，自己終於找到了一個值得她愛的男人了。

三位女巫和騎士手牽手一同動身下山，四個人從此過著長長久久、幸福快樂的生活。誰也不曾知道或懷疑，幸運泉中的水其實根本沒有魔法。

阿不思・鄧不利多的話：

〈幸運泉〉是歷年來最受喜愛的一則故事，它受人喜愛的程度，使它成為霍格華茲聖誕節啞劇的唯一推薦戲碼。

當年我們的藥草學老師是一位醉心於業餘演出的赫伯・啤醴教授[4]。他建議改編這則廣受喜愛的兒童故事，於聖誕節搬上舞台以饗教職員與學生。當時我還是個年輕的變形學老師。赫伯指派我做舞台「特效」，包括提供一座功能齊全的「幸運泉」和一座迷你山丘。當我們的三位女主角和男主角做

---

4. 啤醴教授後來離開霍格華茲，轉赴魔法戲劇學院（W.A.D.A.）任教，他曾向我坦承，他對演出這齣戲仍然懷著強烈的反感，認為它是不吉利的。

爬山狀時，這座山丘會緩緩沉入舞台離開觀眾的視線。

　　我想我可以毫不虛心地說，我的噴泉和我的山丘所扮演的角色都恰如其分。但是，唉，其他角色就不是那麼一回事了。暫且先不提我們的奇獸飼育學老師西華納‧焦壺教授所提供的巨「蟲」的滑稽動作，光是舞台上的人為因素，就已經為這場演出帶來一場災難。擔任導演的啤醴教授危險地忽略了一場公開的感情糾葛，他直到開演前一個鐘頭才獲悉，飾演阿瑪塔和倒楣爵士的學生原是一對男女朋友，不料這時「倒楣爵士」卻已移情別戀愛上「阿夏」。

　　可以這樣說，我們的「幸運泉」探險家終究沒能抵達山頂。當焦壺教授的「巨蟲」──現在謎底正式揭曉，原來牠是一條被施了暴食咒的火灰蛇[5]──在一陣熱辣辣的火花與灰塵中爆炸，使餐廳彌漫著煙霧和舞台布景碎片時，而舞台上的布幕甚至都還沒拉開。這條火

灰蛇在我的「山丘」底下，生下一堆炙熱的蛋，因此引燃了木地板。而「阿瑪塔」和「阿夏」又相互敵對，激烈的決鬥使啤醴教授在雙方交火中受傷。舞台上的地獄之火越演越烈，最後對整個場地安全造成威脅，教職員不得不疏散學生離開餐廳。這一夜的餘興節目最後以醫院廂房爆滿收場。好幾個月後，餐廳的煙燻木頭辛辣味才散去。啤醴教授的腦袋更是很久以後才恢復正常的比例。焦壺教授被記留校察看[6]。校長阿曼多・狄劈自此全面禁止上演啞劇，使霍格華茲這個引以為傲的不演戲傳統一直延續至今。

　　儘管遭到重挫，但〈幸運泉〉仍是皮陀故事集中

---

5. 請參考《怪獸與牠們的產地》，詳細瞭解這隻怪獸的特徵。當時我不該自作主張使用木地板，也不該對牠施暴食咒。

6. 焦壺教授應聘擔任奇獸飼育學教師期間，至少被記了六十二點留校察看，他與我的前任——霍格華茲校長狄劈教授——之間始終處於緊張關係，狄劈教授認為他有點莽撞。然而在我接任校長一職時，焦壺教授已成熟許多，但總是有人對他只剩一隻半的手腳冷嘲熱諷，迫使他不得不過著退隱生活。

最受歡迎的故事，然而和〈巫師與跳跳鍋〉一樣，它也遭到惡意批評。不只一位家長要求將它從霍格華茲的圖書館中剔除，其中包括──無獨有偶地──布魯特・馬份的後代，曾是霍格華茲理事會成員的魯休思・馬份先生。馬份先生提出要求禁止這則故事的信函是這樣寫的：

任何提到巫師與麻瓜異種通婚的小說或非小說，都應禁止在霍格華茲上架。我不希望我兒子因為閱讀了鼓勵巫─麻通婚的故事受到影響，進而玷污他的純種血脈。

大多數霍格華茲理事都支持我，拒絕讓這本書從圖書館下架。我回了封信給馬份先生，說明我的決定：

　　所謂的純種家族是靠否認、消除或謊稱他們族譜中的麻瓜或麻種淵源來維繫所謂的純種。然後硬要在我們面前誆稱偽善，要求我們查禁與他們否認的事實息息相關的作品。現今沒有一位女巫或巫師的血液不曾混合麻瓜的血緣。因此我認為，將涉及這個主題的作品從我們學生的知識寶庫[7]中排除，既不合理也不道德。

　　這場筆戰是馬份先生長久以來處心積慮想除去我的霍格華茲校長職務的發端，而我也不遺餘力地設法除去他身為佛地魔王最喜愛的食死人地位。

---

7. 我的回應立刻引來馬份先生更多的筆戰，但這些書信主要都是針對我健全的心智、出身與衛生做粗野無禮的攻擊，並不適合在本評論中提出。

3.
魔法師的
毛茸茸心臟

The
Warlock's
Hairy Heart

　　從前有位英俊富有又才華洋溢的青年魔法師，由
於眼見他的朋友戀愛之後變得傻裡傻氣，整天歡欣雀
躍，又愛打扮，吃東西也沒胃口，簡直毫無尊嚴可言。
於是這位年輕魔法師下定決心，絕不讓自己變得如此脆
弱，便使用黑魔法使自己免於墜入情網。

　　魔法師的家人並不知道這個秘密，見他如此疏遠
和冷淡的樣子，便開始嘲笑他。

　　「不過，相信等他愛上一個少女後，」他們預言
道，「這一切就會改變了。」

　　但這位年輕魔法師始終沒有愛上任何女子。雖然

許多少女都被他傲慢的態度吸引，想盡辦法取悅他，但沒有一個能打動他的心。魔法師也因自己的冷漠與明智而揚揚自得。

青春逐漸消逝，魔法師的貴族同儕開始一個個結婚了，接著又陸續生小孩。

「他們的心一定都只剩外殼，」當他發現四周的年輕家長舉止都很可笑時，他在內心這樣嘲笑他們，「被這些嗷嗷待哺的子女累得枯萎了！」

他又再度慶幸自己的明智，作了這樣的選擇。

一段時日之後，魔法師年邁的父母去世了。他們的兒子沒有哀悼他們；相反的，他認為他們的死是他的福氣。現在他獨自住在他們的城堡裡。他把最大的財富鎖在地窖深處，過著自在富裕的生活。他雇用許多僕人，唯一的目的就是讓自己過著舒適的生活。

魔法師確信，許多人看見他過著如此優渥、沒有

煩惱的生活後，一定都很羨慕他。因此當他有天無意中聽到兩個僕人在談論他時，他非常生氣懊惱。

第一個僕人表達了他對魔法師的同情，說他雖然有這麼多財富與權力，卻沒人愛他。

但他的同事反脣相稽，問道一個擁有這麼多黃金，名下又有一座富麗堂皇城堡的人，為何無法找到一位妻子。

他們的談話對自負的魔法師而言，無疑是個嚴重的打擊。

於是他當下便決定要娶妻，而且她一定要比其他人的妻子更出類拔萃！她必須有驚人的美貌，每一個見到她的男人都會嫉

妒他，並渴望接近她。她必須出生在魔法世家，這樣一來，他們的子女才會遺傳高超的魔法天分。同時她必須擁有至少和他同樣多的財富，這樣雖然他的家庭成員增加，他依舊可以過著豪華舒適的生活。

　　魔法師開出的這些條件，也許得花五十年工夫才能讓他找到這樣的女子。但就在他決定尋妻的那天，一位符合他每個條件的少女來到當地探訪親戚。

　　她是位具有強大魔法的女巫，而且擁有許多黃金。她是如此美麗，以致每個男子一見了她，一顆心便立刻被她擄獲──也就是說，除了一個人之外的每個男子。這位魔法師的心一點也沒有感覺，但她就是他要尋找的對象，因此他開始追求她。

所有注意到魔法師態度改變的人都非常驚訝，他們
告訴這位少女，她做到了之前一百位少女都做不到的事。

少女本人對魔法師的追求既著迷又排斥。她感覺
到在他熱烈的奉承背後隱藏著冷漠，她從來沒見過這麼
一個如此怪異而又疏離的男人。但她的親戚認為他們是

天造地設的一對，便極力拉攏他們，又接受魔法師的邀請，參加他專為少女舉辦的盛宴。

餐桌上擺滿了銀器和金器，盛裝最好的葡萄酒與最奢華的食物。吟遊詩人彈奏裝了絲弦的魯特琴，吟唱著不曾感動過他們主人的情歌。少女坐在魔法師身邊的寶座上，魔法師低聲對她訴說自己從詩人那兒偷來、但完全不懂其中真義的情話。

少女聽著，感到大惑不解。最後少女終於回答：「魔法師，你說得很好，如果我知道你有心，我會很高興接受你的關愛。」

魔法師微笑著，告訴她不要擔心。他請她跟隨他，帶她離開宴會廳，下樓來到他保存最大財富的深鎖地窖。

就在地窖之中，在一個魔法水晶盒子的裡面，藏著一顆魔法師跳動的心臟。

　　由於長期與眼、耳和手的接觸隔絕，它已很久沒
有見過美麗的東西，或聽過悅耳的聲音、或接觸過細膩
的肌膚。少女見狀因此而大吃一驚，因為那顆心已經枯
萎，上面長滿長長的黑毛。

　　「喔，你做了什麼？」她嘆息地說道，「我懇求
你把它放回原來的地方吧！」

　　魔法師為了取悅她，便抽出魔杖，打開水晶盒，
又劃開自己的胸膛，把這顆長毛的心放回空空如也的胸
腔中。

「現在你痊癒了，你將會知道什麼是真愛了！」少女一面說著，一面伸出手擁抱他。

她柔軟白皙手臂的撫觸，她在他耳邊的呼吸聲，她的濃密金髮散發出的芳香，都有如長矛般刺穿這顆剛剛甦醒的心。但是這顆心經過長期放逐，早已性情大變，在黑暗中變得盲目而兇殘，胃口也已變得粗猛而乖張。

宴會廳內的賓客發現他們的主人和少女不見了。但起初他們不覺得有什麼異樣，等時間一小時一小時過去，他們開始焦急了，決定在城堡內搜尋。

他們最後找到地窖，卻見到最可怕的景象。

少女躺在地上，已經斷了氣，她的胸膛被切開。瘋狂的魔法師蜷縮在她身邊。一隻血淋淋的手捧著一顆平滑、閃亮的鮮紅心臟舔著、撫摸著，還信誓旦旦地說要拿它來交換自己的心。

魔法師的另一隻手拿著他的魔杖，耐心地哄著胸

腔內那顆枯萎長毛的心。但是那顆長毛的心意志比他更堅強，不肯放鬆對他感官的控制，也拒絕回到長期囚禁它的水晶棺。

魔法師在這群飽受驚嚇的賓客面前拋開魔杖，抓起一把銀匕首，發誓絕不受自己的心所控制，當下便朝著胸膛刺下。

起初，魔法師雙手各抓著一顆心大獲全勝地跪在地上，但沒多久，便倒在少女的屍體旁死了。

阿不思·鄧不利多的話：

　　一如我們所知，皮陀的前兩個故事因為闡述了寬宏大量、忍讓與愛的主題而飽受批評，但〈魔法師的毛茸茸心臟〉寫完後，數百年來似乎都沒被修改或遭受眾多批評。我後來讀到的這個古代神秘文字版本的故事，和我母親講給我聽的幾乎一模一樣。〈魔法師的毛茸茸心臟〉是皮陀的故事集中最令人毛骨悚然的，許多家長在自己的孩子長得夠大不再作惡夢[8]之前，都不願將這故事說給他們聽。

　　那麼，這個恐怖的故事為什麼會流傳下來？我認為〈魔法師的毛茸茸心臟〉之所以歷經數百年還能完整地保留下來，是因為

它道出了我們內心深處的黑暗。它訴說了一個最強烈但最不被承認的魔法誘惑：追求刀槍不入。

當然，這樣的追求不過是種愚昧的幻想。不分男人、女人，無論有無魔法，他們的肉體、心靈或情感，都不可能永遠不受傷害。傷害就像呼吸一樣，是人性的一部分。但我們魔法界的人似乎傾向於認為，我們能隨自己的意志改變存在的本質。譬如：這個故事中的年輕魔法師[9]認為，戀愛會對他舒適的生活與安全造成不利的影響。他把愛看作一種屈辱、一種脆弱，會消耗一個人的情感與物質。

當然，從千古以來愛情魔藥的交易可以看出，我們故事中的巫師都在尋求種種方法來控制不可預知的愛，對愛情魔藥[10]的追尋直到今天仍未停止，但這類萬能靈藥始終沒有調配出來，一些著名的魔藥調配師也都懷疑這個可能性。

然而這個故事的男主角，連他能隨意創造或摧毀的虛幻愛情都不感興趣，他永遠不要被自己視為病態的愛所影響，因此用了一種連現實中也不可能存在的黑魔法：把他自己的心封鎖起來。

許多作家對這種類似分靈體的行為有諸多紀錄。雖然皮陀筆下的男主角沒有尋求避免一死，但他仍把不

8. 根據碧翠絲・布洛森的日記記載，她一直沒能從偷聽嬸嬸講給堂哥們聽的這則故事所受的驚嚇中恢復正常。「我在無意中將我的小耳朵貼在鎖孔上，我想當時我一定被嚇得不能動彈，因為我一不小心就把整個噁心的故事都聽完了，更別提我的諾比叔叔那個恐怖事件的駭人細節──老巫婆和一袋跳跳根。這場驚嚇幾乎要了我的命，我病了整整一星期不能下床；又因驚嚇過度，竟養成每晚夢遊走回那個鎖孔的習慣，直到我那時時無刻不為我著想的親愛的爹爹，每天就寢時對我的臥房門下恆黏咒為止。」碧翠絲顯然無法將〈魔法師的毛茸茸心臟〉改寫成適合兒童敏感耳朵的版本，因為她始終沒有將它改編，收錄在《毒蕈故事集》中。

9. 〔「魔法師」是個非常古老的用詞，雖然它有時被拿來和「巫師」交互使用，但它最早是指專精於殊死戰與所有戰鬥魔法的巫師。它同時也是冊封給表現英勇的巫師的頭銜，有點像麻瓜有時也會因為英勇的行為而被冊封為騎士。皮陀在這個故事中，稱這位年輕的巫師為魔法師，顯見他已被公認為特別專精於攻擊性魔法。近年來巫師會在兩種情況下用「魔法師」這個名詞：一是用來形容外表特別勇猛的巫師，另一個是加封給魔法特別高強或成就傑出的巫師的頭銜。所以，鄧不利多才會被封為「巫審加碼首席魔法師」。J.K. 羅琳〕

10. 「最不尋常魔藥調配師協會」創始人賀特・達伍一格蘭傑說過：「技術高超的魔藥調配師能誘發強烈的迷戀，但迄今還沒有人能製造出真正牢不可破的、永久的、無條件附屬的、可以擔起愛情之名的魔藥。」

可分割的東西加以分割——肉體與心臟，而非靈魂——
這種行為違反了阿達柏・瓦夫林的「魔法基本定律」第
一條：

玩弄最深沉的奧秘——生命之源，自我的本質——
將承受最極端與最危險的後果。

果然，為了成為超人，這個有勇無謀的年輕人泯
滅了人性，被他封鎖的心漸漸萎縮長毛，象徵他墮落成
獸性，最後變成野蠻的動物以蠻力強求，終於在企圖奪
取他再也得不到的——一顆人類的心臟——不成後，
死了。

雖然已經有點過時，但魔法界代代相傳到今天，
仍以「有顆毛茸茸的心」來形容冷漠或無情的女巫或巫
師。我那未婚的姑媽荷娜莉常說，她和「魔法不當使用

局」的一位巫師訂婚後又解除婚約，是因為她及時發現
「他有顆毛茸茸的心」（但謠傳她其實是發現他在愛撫
幾個毛菇精[11]後，非常震驚）。前不久，自助學習書籍
《毛茸茸的心：拒絕承諾的巫師自助指南》[12]也登上了
暢銷書排行榜。

---

11. 毛菇精是一種粉紅色、有剛毛的蘑菇狀生物，很難想像為什麼有人喜歡愛撫
    牠們。欲瞭解進一步資料，請參考《怪獸與牠們的產地》。
12. 請勿與「毛鼻，人心」混淆。後者是用來形容一個人與變狼狂搏鬥的令人心
    碎的用語。

4.
巴比兔迪迪
和
咯咯笑樹樁

Babbitty
Rabbitty and
her Cackling
Stump

很久以前，在一個很遠的地方，住著一個愚蠢的國王，他決定只有他一個人才能擁有魔法的力量。

因此他下令侍衛隊長組織一支「緝巫搜索隊」，並派給他們一群兇猛的黑色獵犬。同時，國王在全國各地的村莊與城鎮發布公告：「國王徵求魔法指導教師」。

但沒有任何一位真正的女巫或巫師敢自願應徵這個工作，因為他們在逃避「緝巫搜索隊」的搜捕，全部躲起來了。

這時有個不懂魔法但狡猾的江湖騙子看出這是個

致富的機會，於是來到皇宮，宣稱他是個擁有強大法力的巫師。這個騙子表演了幾招簡單的障眼把戲，使愚蠢的國王相信這是他的魔法，當下便被國王任命為「首席大魔法師」、「國王的御用魔法大師」。

騙子請求國王給他一大袋金子，讓他去買魔杖和其他魔法用品。他同時要求國王給他幾顆特大的紅寶石，好用來下治病的符咒；以及一、兩個銀杯，用來盛裝和熟成魔藥。愚蠢的國王都如數供應。

騙子將這些財寶妥善藏在自己的屋子裡，然後又回到皇宮。

但騙子不知道的是，有個住在宮殿旁一間小茅屋的老婦人正在監視他。這個老婦人名叫巴比兔迪迪，是

宮裡的洗衣婦，負責把皇宮裡的床單洗得柔軟、芳香、潔白。巴比兔迪迪從她晾曬的床單後面偷看，看到這個騙子從國王的樹上折下兩根樹枝，然後進入皇宮。

騙子交給國王一根樹枝，告訴他這是一支法力強大的魔杖。

「但是，只有在您真正成為魔法師時，」騙子說，「它才會發生作用。」

此後的每天早上，騙子和愚蠢的國王都會一起走到皇宮的庭園中，對著天空胡亂揮動他們的魔杖，並且大聲喊叫。騙子又謹慎地表演了幾個障眼把戲，使國王繼續相信那是魔法大師的魔法，以及自己用許多黃金買來的魔杖所使出的法力。

一天早上，當騙子和愚蠢的國王揮著他們的樹枝，繞圈子跳著，口中喃喃有詞唸出亂七八糟的韻語時，突然一陣咯咯大笑傳到國王的耳中。原來是洗衣婦巴比兔迪迪從小茅屋窗口看到國王和騙子比畫的樣子，笑到站不起來，然後從窗口消失了。

「我的樣子一定很驢，才會讓洗衣服的老太婆笑成這樣！」國王說道。於是他停止跳動並揮舞樹枝，皺著眉頭說道：「魔法師，我實在練得很煩了！到底什麼時候我才能準備好在我的百姓面前表演真正的魔咒？」

騙子安慰他的學生，向他保證很快就能施展

出強大的魔法。但騙子不知道巴比兔迪迪的咯咯笑聲已
嚴重傷了愚蠢國王的心。

「明天，」國王說，「我們將邀請王公貴族來觀
賞他們的國王表演魔法！」

這時騙子看出，帶著財寶逃走的時機到了。

「啊，國王陛下，這是不可能的！我忘了稟告
國王陛下，我明天必須出遠門──」

「如果你沒得到我的允許就擅離皇宮，
我的『緝巫搜索隊』就會帶著他們的獵犬
追捕你！明天早上你要協助我在我的王侯和
貴婦面前表演魔法，假如有任何人笑我，
我就拿你斬首是問！」

國王氣呼呼地走回皇宮，留下騙子一
人惴惴不安。現在連狡猾的障眼把戲都救
不了他了，因為他不能逃走，也無法用

他和國王都不懂的魔法協助國王。

　　騙子為了發洩他的恐懼與怒氣，因此來到洗衣婦巴比兔迪迪的窗戶前。他偷偷往內看，看見這個矮小的老婆婆坐在桌邊擦拭一支魔杖，在她背後的牆角邊，國王的床單正在一個木桶內自動清洗。

　　騙子立刻明白了。巴比兔迪迪就是真正的女巫，她既是給他帶來麻煩的繫鈴人，也是他的解鈴人。

　　「老太婆！」騙子大吼道，「妳的笑聲可害死我了！假如妳不幫助我的話，我就舉發妳的女巫身分，到時候，被國王的獵犬分屍的可是妳喔！」

　　老巴比兔迪迪對著騙子微笑，向他保證會盡力幫助他。

　　於是騙子指示她，明天國王表演魔法時她必須藏在樹叢裡，在國王不知情的狀況下代替國王下魔咒。巴比兔迪迪答應了，但她有個疑問。

「先生，萬一國王下了一個巴比兔迪迪不會的魔咒呢？」

這時騙子在心中暗自嘲笑她。

「妳的魔法一定比那個傻瓜的想像力更高明。」

他這麼安慰她，然後回到城堡，對於自己的聰明十分滿意。

第二天早上，國內所有的王侯和貴婦齊聚皇宮。國王爬上他們面前的一座高台，騙子站在他身邊。

「我首先要將這位夫人的帽子變不見！」國王大聲說道，用他的樹枝指著一位貴婦。

巴比兔迪迪從附近的樹叢裡用她的魔杖指著那一頂帽子，把它變不見了。觀眾既吃驚又欽佩，都為興高采烈的國王熱烈鼓掌。

「接下來呢，我要讓那一匹馬飛起來！」國王又將樹枝指向他的坐騎。

躲在樹叢裡的巴比兔迪迪也將魔杖對準那匹馬一指，牠立刻升上天空。觀眾更興奮也更驚訝了，都齊聲為國王大聲喝采。

「現在──」國王看看四周，徵求觀眾的意見。

這時他的「緝巫搜索隊」隊長跑上前來。

「國王陛下，」隊長說，「今天早上

沙布瑞吃到一隻有毒的蟾蜍死了！國王陛

下，請您用您的魔杖讓牠復活吧！」

隊長將那隻體型最大的緝巫獵

犬的屍體放在高台上。

愚蠢的國王揮動他的樹

枝指著死去的獵

犬，但躲在樹叢內的巴比兔迪迪只是微笑，並不舉起魔杖，因為沒有任何一個魔法能夠起死回生。

觀眾見那條狗一動也不動，先是竊竊私語，繼而大笑。他們開始懷疑國王前面的兩次魔法不過是變魔術罷了。

「為什麼不靈了？」國王氣急敗壞地對著騙子大吼。

騙子只好臨時想出一計。「那邊，國王陛下，那邊！」他大聲說，指著巴比兔迪迪藏身的矮樹叢，「我看得很清楚，有個邪惡的女巫用她邪惡的魔咒阻擋您的魔法！抓住她，來人啊，抓住她！」

巴比兔迪迪逃出樹叢，「緝巫搜索隊」立刻展開

追緝，並放出他們狂叫的獵犬。但是當她逃到一處矮樹籬邊時，這矮小的女巫竟然瞬間失去了蹤影。等國王、騙子和全體朝臣都趕到樹籬邊時，只見那群獵犬正對著一棵彎曲的老樹狂吠，並用爪子用力扒地。

「她把自己變成一棵樹了！」騙子大聲說道。他怕巴比兔迪迪又變回婦人的樣子，揭發他的陰謀，於是又說：「國王陛下，把她砍斷，對付邪惡的女巫就要這樣！」

一把斧頭立刻被送上前來，而老樹就在群臣和騙子的歡呼聲中被砍倒了。

然而，正當他們一行人準備回皇宮時，一陣咯咯的笑聲突然又使他們停下腳步。

「一群傻瓜！」巴比兔迪迪的聲音從砍斷的樹樁內傳出。「女巫或巫師即使被砍成兩半也不會死！你們如果不信，不妨把大魔法師也砍成兩半試試看！」

　　「緝巫搜索隊」隊長躍躍欲試，但就在他舉起斧頭時，騙子突然雙膝跪下，大喊饒命，並坦承這一切都是他的壞主意。當騙子被拖入地牢監禁起來時，樹椿又笑得更大聲了。

　　「你把一個女巫砍成兩半，無疑是對你的國家下了個最可怕的詛咒！」樹椿對嚇得目瞪口呆的國王說道，「從今以後，你每砍一下我的女巫與巫師同伴，你就會覺得彷彿斧頭也砍在你的身上，讓你痛不欲生！」

　　國王一聽頓時也跪倒在地。國王馬上對樹椿說，他會立刻頒布文告，通知全國上下保護國內所有女巫與巫師，並允許他們自由自在地使用魔法。

　　「很好，」樹椿說，「但你還沒有補償巴比兔迪迪！」

　　「隨便妳，隨便妳要怎樣都行！」愚蠢的國王在樹椿前扭著雙手哭著說。

　　「你必須在我身上立一尊巴比兔迪迪的塑像，紀念你可憐的洗衣婦，並永遠提醒自己的愚蠢！」樹椿說。

　　國王答應立刻照辦，並保證延聘國內最好的雕塑家，用純金塑造這尊雕像。然後一臉慚愧的國王和全體

貴族與貴婦返回皇宮，留下樹樁咯咯笑個不停。

等所有人都走光後，樹樁的樹根中間鑽出一隻老兔子，牠的齒間還咬著一支魔杖。巴比兔迪迪一蹦一跳離開了那地方。不久後，洗衣婦的黃金塑像矗立在樹樁上，同時那個國家的女巫與巫師此後再也不曾遭到迫害。

阿不思‧鄧不利多的話：

〈巴比兔迪迪和咯咯笑樹椿〉從許多方面來看，是皮陀故事集中最「真實」的一則故事，它所敘述的魔法幾乎和已知的魔法定律完全一致。

很多人讀了這故事後，才首度知道魔法不能起死回生——於是我們感到震驚與失望，因為我們從小便一直以為，我們的父母能夠用他們的魔杖喚醒我們死去的寵物鼠和寵物貓。雖然皮陀寫下這個故事迄今已有六百多年，我們也仍一直使用各種方法來維護讓所愛之人永在眼前的幻想[13]，但巫師仍然無法找到能在死後將肉體與靈魂重新聚合的方法。誠如著名的魔法哲學家柏川‧

德·龐樹—普羅風在他的名著《自然死亡的真實與抽象
效果逆轉的可能性研究，特別關於本質與物質的再結
合》中說：「算了吧，永遠不可能發生。」

　　但巴比兔迪迪是文學中最早提到的化獸師，因為
洗衣婦巴比兔迪迪具有隨意志力變成動物的罕見魔法
能力。

　　在魔法界人口中，化獸師只占一小部分。要想做
到完美、自然地從人變成動物，需要不斷研究與練習，
以致許多女巫與巫師都認為不如把這些時間用來學習別
的東西。當然，這種才能也只局限在一個人有絕對必要
偽裝或隱匿身分時使用。基於這個原因，魔法部才堅持
化獸師必須向魔法部登記，因為這種魔法很可能被用來
執行秘密行動、隱匿，或甚至犯罪行為[14]。

　　是否真有個洗衣婦能變成兔子是個公開的疑問；
但部分魔法史學家認為，皮陀是根據著名的法國女魔法

師兔子麗樹為藍本，塑造出巴比兔迪迪這個角色。兔子麗樹於一四二二年在巴黎以使用巫術的罪名被判刑，但她的麻瓜守衛驚愕地發現，麗樹竟然在行刑前夕從囚室中消失了，這些守衛後來都被判協助女巫逃獄之罪。雖然沒有證據可證明麗樹是個化獸師，並從她的囚室鐵窗鑽出逃亡，但後來的確有人看見有隻大白兔乘著一個裝有風帆的大釜越過英吉利海峽，同時有隻相似的兔子後來成了英王亨利六世[15]親信的王室顧問。

　　皮陀故事中的國王是個愚蠢的麻瓜，對魔法又愛又怕，以為單單靠學習咒語和揮動魔杖[16]就能成為魔法

13.〔魔法相片與畫像會動而且會說話（例如後者），一如生前。其他較罕見的物件，例如：「意若思鏡」，也會現出失去的親人一個以上的靜止影像。幽靈則是通體透明、會移動、會說、會想的女巫和巫師，他們為了種種原因，希望一直停留在人間。J.K. 羅琳〕
14.〔霍格華茲校長麥教授要求我說明，她之所以成為化獸師，純粹是為了深入研究「變形學」的種種領域，她從來沒有為了任何偷雞摸狗的勾當而變成虎斑貓，不過當她代表鳳凰會行使合法職權時則例外，因為鳳凰會的行動是以秘密與隱匿為先。J.K. 羅琳〕
15. 這點說明了麻瓜的國王一向心智不穩定。

師。他對魔法與巫師的真正本質完全不瞭解，才會聽信
騙子與巴比兔迪迪的荒謬說詞。這當然是非常典型的麻
瓜想法：他們因為無知，所以對魔法的種種不可能現象
也都照單全收，包括巴比兔迪迪把自己變成一棵能思
考也能說話的樹這種事（但我要在此指出，皮陀雖然利
用會說話的樹來告訴我們，麻瓜國王有多麼無知，但他
同時也要我們相信，巴比兔迪迪即便身為兔子時也能開
口說話。這也許可說是他在故事中加入的詩意，但我認
為更可能的情況是皮陀只聽說過化獸師，而沒有親眼見
過，這也是他唯一能在故事中享有的魔法特權。化獸師
變成動物形象時沒有說人語的能力，但仍具備人類的思
考與推理能力。每個學童都知道，這是化獸師和把自己
「變形」成動物兩者間最大的差異。以後者來說，一個
人可以完全變成動物，但後果是這個動物不會魔法，牠
不知道自己曾經是個巫師，牠需要別人的幫助才能再度

「變形」回原來的形貌）。

我想皮陀有可能受到真正的魔法傳統與應用的啟發，選擇讓他故事中的女主角假裝變成了一棵樹，再以斧頭砍身體的痛苦來威脅國王。可以用來做魔杖的樹通常都會受到照顧它們的魔杖製造師的嚴密保護，偷砍這些樹，不僅可能遭到住在樹上的木精[17]報復，還可能引發它們的主人在它們四周設下保護咒後帶來的不良後果。在皮陀的時代，酷刑咒還未被魔法部[18]視為不合法行為，因此的確有可能帶來巴比兔迪迪威脅國王的那種痛苦。

16. 根據神秘部門在一六七二年所做的深入研究結果顯示，女巫和巫師是天生的，不是後天造成的。雖然那些明顯不會魔法的麻瓜後代有時會顯現「沒有章法」的魔法能力（後來的若干研究顯示，這些人的族譜中一定曾經出過女巫或巫師），但一般而言，麻瓜是不懂魔法的。他們只能希望——或者作最壞打算——由一支真正的魔杖隨機引發無法控制的效果。由於魔杖是施展魔法的管道，有時會突如其來釋放殘存的魔力——請參考〈三兄弟的故事〉中關於魔杖的筆記。
17. 欲瞭解這些奇特的木精的詳細解說，請參考《怪獸與牠們的產地》。
18. 酷刑咒、蠻橫咒，以及啊哇呾喀呾啦，在一七一七年首度被列為不赦咒，使用者會被處以最嚴厲的懲罰。

5.
三兄弟
的故事

The Tale
of the
Three Brothers

　　從前有三兄弟出外旅行，他們在天色昏暗時來到
一條荒蕪曲折的小路上。走了一段時間後，三兄弟來到
一條河邊，這條河的河水太深，因此無法涉水而過，而
游泳又太危險，但好在三兄弟都會魔法，因此他們揮動
魔杖，變出一座橋橫跨在湍急的河面上。當他們走到
橋中央時，忽然發現前面有個戴兜帽的人影擋住他們
的去路。

　　這個死神對他們說話了。由於路過旅客通常會溺
死在河裡，死神卻看見三兄弟逃過了他的魔掌，因此非
常生氣。不過死神很狡猾，他先假裝向三兄弟道賀，說

他們法力高強，又說他們這麼聰明，能
逃出他的掌握，所以每個人
都可以得到一件獎品。
　　大哥是一個好鬥的
人，他要求得到一支世上威力最
強的魔杖：一支每次
決鬥時都能為主
人贏得勝利的
魔杖，這樣
才配得上征
服死神的巫師！於是死神
到河對岸的一棵接骨木
旁，折下一根樹枝做成
魔杖，交給大哥。

　　生性傲慢的二哥決定進一步羞辱死神，便要求讓

他擁有起死回生的能力。死神便撿起河岸上的一塊石頭

交給二哥，告訴他這個石頭有起死回生的力量。

　　接著死神問第三個、也是最小的弟弟要什麼。小

弟在三兄弟中最謙虛也最有智慧，而且他不信任死神，

於是他要求得到一件能在離開

這地方後，再也不必擔

心死神跟蹤的寶

物。死神很不情

願地把自己的隱

形斗篷交給了他。隨

後死神讓開，讓三兄弟

繼續上路。三兄弟邊走

邊談論這個奇遇，

同時不忘把玩死神

送給他們的禮物。

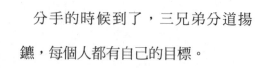

分手的時候到了，三兄弟分道揚

鑣，每個人都有自己的目標。

大哥又繼續往前走

了一個多星期，來到一

處遙遠的村落。他找到

過去曾和他發生爭執

的巫師。有了接

骨木魔杖這

個武器，

他在決鬥中

理所當然地得到

勝利。他的敵人倒地死

去後，他繼續來到一間客棧。他在客棧內大聲吹噓自己

從死神那兒奪得這支法力無邊的魔杖，又誇說有了這支

魔杖，他從此便天下無敵了。

那天晚上，大哥喝得醉醺醺的，躺在床上不省人事。另一名巫師潛入他房間。這個小偷偷走了魔杖，為了杜絕後患，他割斷了大哥的喉嚨。

於是死神占有了大哥。

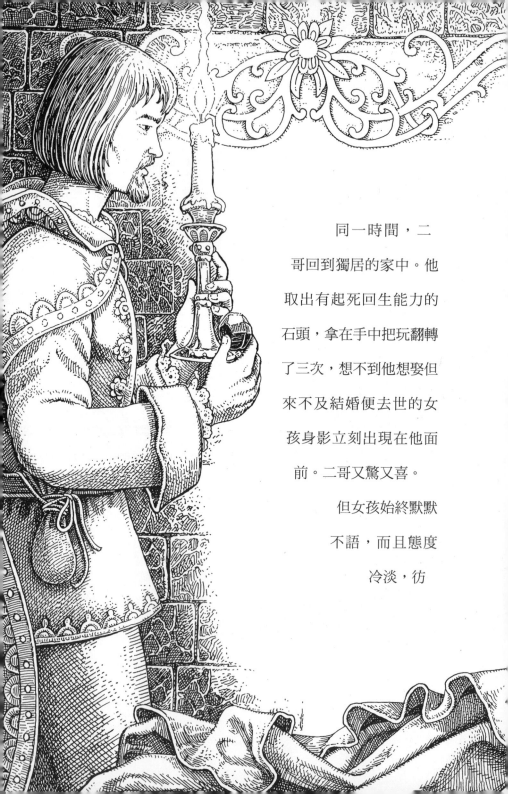

同一時間，二哥回到獨居的家中。他取出有起死回生能力的石頭，拿在手中把玩翻轉了三次，想不到他想娶但來不及結婚便去世的女孩身影立刻出現在他面前。二哥又驚又喜。

但女孩始終默默不語，而且態度冷淡，彷

彿有層薄紗將他們兩
人隔開。女孩雖然回到
人間，但她並不真的屬於
這裡，所以非常痛苦。最
後，二哥因為希望落空而
自殺，因為只有這樣，他
才能真正和她在一起。

於是死神也占有
了二哥。

　　但是死神尋找三弟多年，卻始終無法找到他。三

弟一直活到很老之後，才脫下隱形斗篷交給兒子，然後

以老友的身分和死神打招呼，並以勢均力敵的姿態，高

高興興跟著死神離開人世。

阿不思・鄧不利多的話：

　　這個故事在我少年時便讓我留下深刻印象。我最早是從母親那裡聽到這故事，它很快便成為我最常要求聽到的睡前故事。這件事常引發我弟弟阿波佛的不滿，他最愛聽的故事是〈邋遢羊甘比〉。

　　〈三兄弟的故事〉寓意再清楚不過：人類想方設法逃避或征服死亡的企圖往往注定要失望。

　　故事中的三弟（「最謙虛也最有智慧」）是唯一瞭解這個真相的人。他知道他們與死神擦肩而過，勉強逃過一死，他只能希望盡可能延後下一次與死神相遇的機會。這個最小的弟弟知道，嘲弄死神──使用暴

力，像大哥；或介入巫術[19]的黑魔法，像二哥——無疑
是讓自己陷入一個不可能失敗的老謀深算敵人手中。

　　諷刺的事情是，這個故事衍生出一個和這原始訊
息相牴觸的奇特傳說。相傳死神送給三兄弟的禮物——
一支所向無敵的魔杖、一塊能起死回生的石頭，以及一
件永不破損的隱形斗篷——是確實存在世間的真實寶
物。又有進一步的傳說指稱：若有任何人合法地擁有這
三件寶物，那麼，他或她便將成為「死亡的主宰」，意
指他們將不會受傷，甚至永遠不死。

　　對於這一個故事想要闡述的人類本性，我們也許
會感到無奈地微微一笑。最仁慈的詮釋應該是：「有希
望才有永恆」[20]。

　　儘管事實顯示，皮陀所說的三件寶物中的兩件具
有高度危險性；儘管明顯的訊息顯示，死神最終還是會
找上我們。但仍有一小撮魔法界的人堅信，皮陀是在對

他們傳達一個加密的訊息，這個訊息和這個付印的故事相互矛盾，只有他們才有足夠的智慧來破解它。

　　他們的理論（也許稱之為「極度希望」會是較貼切的說法）缺乏明確的證據支持。真正的隱形斗篷雖然罕見，但真實存在我們這個世界上；然而這個故事明白指出，死神的斗篷具有耐久不壞的特性[21]。從皮陀的時代至今歷經數百年，還無人宣稱見過死神的斗篷。真正相信的人因此宣稱：如果不是三弟的後代不知道他們的斗篷來自於何處，就是他們雖然知道，但決心展現祖先的智慧，也就是隱瞞真相。

19.〔巫術就是使死者復生的黑魔法。這個故事說得很清楚，它是一種無效的旁門左道魔法。J.K. 羅琳〕

20.〔這句語錄顯示阿不思‧鄧不利多不僅飽讀魔法詞彙，同時也熟知麻瓜詩人亞歷山大‧波普的作品。J.K. 羅琳〕

21.〔「隱形斗篷」一般而言不是絕對可靠，它們有可能因年代久遠而撕裂或變得不透明，或加在它們身上的符咒效果逐漸減弱，或魔力被現身咒抵銷。這就是為什麼女巫和巫師往往一開始都先用「滅幻咒」來偽裝或隱藏自己。據說阿不思‧鄧不利多不需要隱形斗篷就能用強力滅幻咒來隱藏自己。J.K. 羅琳〕

　　自然地，重生石也始終沒被發現過。誠如我在〈巴比兔迪迪和咯咯笑樹樁〉的相關評論中所指出，我們仍無法使死者復生，這一點不容置疑。當然，也有黑巫師曾試圖使用低劣的替代品，創造出行屍[22]這一種東西，但這些都只是可怕的傀儡，而不是真正被喚醒的人類。更有甚者，皮陀的故事明白指出一個事實，即二哥失去的愛人並沒有真正死而復生，她是被死神派去引誘二哥落入死神的圈套，所以她才會冷漠、疏遠、若即若離[23]。

　　再來是魔杖。

　　堅信皮陀的故事隱藏某些訊息的人，這裡至少有個歷史證據可以支持他們瘋狂的主張。事實上——無論是因為他們想要榮耀自己，或想威脅可能的敵人，抑或因為他們真的相信他們所說——長久以來一直有巫師宣稱擁有一支比一般威力更強的魔杖，甚至是支「天下無

敵」的魔杖。有些巫師甚至大言不慚地說他們的魔杖是
接骨木做的，就像傳說中死神做的那支魔杖一樣。這一
類魔杖有許多名稱，有的叫「命運魔杖」，也有的叫
「死神魔杖」。

我們的魔杖一直不脫古老的迷信，這點也不奇
怪，畢竟那是我們最重要的魔法工具和武器。但有些魔
杖（以及連帶它們的主人）按理說是互不相容的：

男橡木、女冬青，

結不成好婚姻。

或者直指魔杖主人個性上的缺點：

22.〔「行屍」是被黑魔法所驅動的屍體。J.K. 羅琳〕
23. 許多評論家認為，皮陀是從可以製造出長生不死藥的「魔法石」得到靈感，
　　而創作出這塊能起死回生的石頭。

山梨嘮叨，

栗子低沉，

梣木頑固，

榛木哀怨。

不但如此，在這些未經證實的傳說中，我們還聽說：

接骨為魔杖，

運氣不會旺。

不知是否因為在皮陀的故事中，死神用接骨木做
了這支傳說中的魔杖，抑或因為渴求魔力或暴力的巫師
不斷宣稱他們的魔杖是接骨木做的，總之，它不是魔杖
製造師喜歡的製杖木材。

最早有完整紀錄提到一支威力特別強大、也特別

危險的接骨木魔杖持有者是艾摩利，一般稱他為「邪惡的艾摩利」。

他是個生命短促但非常好鬥的巫師，在中古世紀初期威名傳遍英格蘭南部。他死得其所，和一位叫艾格伯的巫師在一次激烈的決鬥中喪生。雖然中古時期的決鬥者壽命通常很短，但艾格伯的下場如何不得而知。

在魔法部規範黑魔法的使用前，決鬥的結果往往是兩敗俱傷。

百年之後，另一個不受歡迎的人物——這個人叫高德拉——在一支魔杖的協助下，寫下許多危險的咒語，使黑魔法更上一層樓。

高德拉在他的筆記中稱這支魔杖為「我最邪惡、最狡猾的櫛骨木[24]朋友，它知道許多極惡魔法」。

24.「接骨木」的舊稱。

（《極惡魔法》遂成為高德拉這本成名作的書名。）

　　眾所皆知，高德拉視他的魔杖為合作夥伴，甚至幾乎可說是他的指導老師。

　　熟知魔杖學[25]的人都會同意，魔杖的確會吸收使用者的法力。但這是一件不可預知並且有缺點的事情；因為你必須考量其他因素，例如：魔杖與使用者間的關係，才能瞭解它如何與某個特定人士合作無間。不過一支輾轉經過許多黑巫師之手的令人臆測的魔杖，至少也會和最危險的魔法起明顯的共鳴。

　　大多數女巫和巫師都寧可要一支「選上」他們的魔杖，而不喜歡二手魔杖。原因就是後者可能已經從它的前一位使用者身上養成與新使用者的魔法格格不入的習慣。而且魔杖的主人一旦去世，往往會帶著他或她的魔杖一起入土（或火葬）。這種風俗的目的也是為了防止個人的魔杖從太多主人那裡學到不同風格。

然而篤信接骨木魔杖的人認為，由於它經歷了許多任主人——下一任主人必須擊敗前一任主人，而且通常是靠殺戮來奪取——接骨木魔杖才一直沒有被摧毀或埋葬，反而存活下來，不斷累積超凡的智慧、力量與魔力。

大家都知道高德拉被他瘋狂的兒子西爾沃監禁在自己的地窖中，最後死在裡面。

我們猜想，西爾沃一定奪取了他父親的魔杖，否則他父親就能逃出去了，但西爾沃事後如何處置那支魔杖，我們就不清楚了。可以確定的是，十八世紀初期曾出現一支魔杖，它的主人巴拿巴·得伏里將它命名為「揭骨木魔杖」[26]，巴拿巴後來仗著這支魔杖成為可怕的巫師，直到他的恐怖優勢被同樣惡名昭彰的盧錫斯取

25. 例如：我本人。
26. 也是「接骨木」的舊稱。

代。盧錫斯奪走這支魔杖,將它改名為「死神魔杖」,凡是與他為敵的人統統被他殺死。盧錫斯的魔杖下落難以追查,因為許多人都自稱殺了他,包括他的母親。

對於研究所謂接骨木魔杖史的任何聰明女巫與巫師來說,衝擊最大的是,每個宣稱擁有它的男人[27]都堅稱它「天下無敵」。但是從接骨木魔杖幾經轉手的一些過往的事實可以知道,它不但被擊敗過數百次,而且它招惹麻煩的能耐不亞於「邋遢羊甘比」招惹蒼蠅的功力。最後,對接骨木魔杖的追尋,不過是印證了我在漫長生命旅程中屢次說過的一句話:

人類最懂得正確選擇對他們最不利的東西。

但是,如果擁有挑選死神禮物的機會,我們又有誰能具備三弟的智慧?巫師與麻瓜一樣的貪愛權力,又

有多少人能夠抗拒得了這樣的「命運魔杖」？哪一個人類在失去心愛的親人之後，能夠抵擋得了「重生石」的誘惑？甚至連我，阿不思・鄧不利多，都難以抗拒「隱形斗篷」；這足以顯示，即使聰明如我，也不過是和其他任何人沒兩樣的大傻瓜。

27. 從來沒有女巫自稱擁有「接骨木魔杖」。信不信由你。

Protecting Children. Providing Solutions.

Lumos基金會執行長喬琪特‧墨海爾給讀者的信

Lumos（名詞；發音為路摸思）：

1. 創造光明的咒語，也就是魔杖發光咒。（出處：《哈利波特》系列）

2. 致力終結讓孩子待在安置機構的非營利團體。

　　一切都從一張照片開始。

　　當J.K.羅琳看到一個小男孩的黑白照片時，這孩子孤絕、遭到世界遺棄，跟家人分離，安排住在安置機構，羅琳無法視而不見。

現在，想像有八百萬個這樣的孩子。

這就是全球在幼年時期待過這種收養機構孩童的人數，這些機構主要都是孤兒院。不過，這些孩子並不是孤兒，他們有深愛他們、想要跟他們在一起的家人，但家貧、先天障礙或來自弱勢族裔的家庭，使得他們得不到太多協助。

我們在Lumos基金會發現並實際實行的，是很創新的事情，我們的花費更少、效果更成功，我們關閉孤兒院，將收容機構的資金轉去使用在社區型的服務上，能夠在孩子所屬的家中支持他們。

我們怎麼辦到的？

在過往幾十年裡，對於脆弱的孩童及家庭來說，孤兒院是他們想到的第一個選項。對走投無路的父母而言，收養機構通常是他們唯一的選項。孩

童生命裡的各種機會也會因此受到重大且深遠的影響。

研究指出，這些孩子的前景岌岌可危，可能會遭到非法販賣，或承受各種形式的虐待及冷落。而且，他們長大後，還要掙扎面對外面的世界。

點亮改變之路的火光

為了世界繁榮，我們必須確保這些孩子不只存活下來，還發展得很好。Lumos基金會專注於提供孩子必要情緒滋養的關鍵成分，也就是來自父母的專注關愛及照顧。

根據嬰孩腦部初期發展的研究指出，能夠協助孩童腦部成長發育的不外乎是父母對其的持續專注、回應與刺激，還有親子之間產生的連結關係。

簡單來說，親子之間的連結就是一切幸福與成功成長的基石。

雖然孤兒院都是出於善意而存在，但無論社工或工作人員多麼努力，他們都沒有辦法取代孩子的家人。少數工作人員必須照顧太多孩子，難免會有幾個小時，孩子接受不到刺激，甚至連人與人之間的接觸都沒有。

所幸，這是個可以解決的問題。

許多國家現在都開始改變，與其將孩子送去孤兒院，還不如提供協助，讓孩子能夠待在原生家庭，待在社區裡。

全球組織

我們的使命在歐洲國家走到非常關鍵的一步，歐盟及其他大型捐贈人現在明白收養機構不

是唯一的答案，紛紛將資金轉向到社區型的支援服務之中。

讓孩子與他們所屬的家庭一起生活已經不成問題，現在的問題在於時間點及方法。

但放眼全世界，許多國家仍利用表面上符合脆弱孩童需求的收養機構。Lumos基金會正在全球努力改善這種風潮。藉由課程計畫、示範Lumos基金會架構的彰顯成效來影響世界上支持孩童待在原生家庭，而非收容機構的決策者，我們會在歐洲看到成效，且會將漣漪擴散到世界各地。

全球運動

改變現狀需要時間、政治因素、公共意志的介入，還需要挑戰現有孤兒院概念及實際狀況之間的落差：

收養機構裡並不是只有孤兒，裡頭有很多孩子，摯愛的親人都還在，只是需要一點協助。

- 對許多不幸的孩子來說，收養機構絕非必須，也不是最適合的歸宿。
- 收養機構沒有辦法替孩子提供良好的未來。
- 收養機構並非最經濟的解決方案。

透過購買這本獨特的書，您正協助Lumos基金會確保在二〇五〇年以前，全世界不再有孩子住在安置機構，我們將一起把孤兒院塵封進它們所應屬的歷史書籍之中。

我們可以一起重新聚焦，用全世界的力量支持孩童及他們的原生家庭，他們所屬的家與社區。

我們可以一起點亮火光，克服黑暗。

同心協力，我們就是Lumos。

國家圖書館出版品預行編目資料

吟遊詩人皮陀故事集/J.K.羅琳；林靜華譯. -- 二版.
-- 臺北市：皇冠, 2017.08
　面；公分. -- (皇冠叢書；第4631種)(CHOICE;307)
譯自：THE TALES OF BEEDLE THE BARD

ISBN 978-957-33-3312-8 (平裝)

873.59　　　　　　　　　　106010379

皇冠叢書第4631種
CHOICE 307

吟遊詩人皮陀故事集
THE TALES OF BEEDLE THE BARD

作　　者—J.K.羅琳
譯　　者—林靜華
發 行 人—平　雲
出版發行—皇冠文化出版有限公司
　　　　　台北市敦化北路120巷50號
　　　　　電話◎02-27168888
　　　　　郵撥帳號◎15261516號
　　　　　皇冠出版社(香港)有限公司
　　　　　香港銅鑼灣道180號百樂商業中心
　　　　　19字樓1903室
　　　　　電話◎2529-1778　傳真◎2527-0904
總 編 輯—許婷婷
著作完成日期—2007・2008年
二版一刷日期—2017年08月
二版十一刷日期—2023年10月
法律顧問—王惠光律師
有著作權・翻印必究
如有破損或裝訂錯誤，請寄回本社更換
讀者服務傳真專線◎02-27150507
電腦編號◎ 375307
ISBN◎ 978-957-33-3312-8
Printed in Taiwan
本書定價◎新台幣220元/港幣73元

● 皇冠讀樂網：www.crown.com.tw
● 皇冠Facebook：www.facebook.com/crownbook
● 皇冠Instagram：www.instagram.com/crownbook1954
● 皇冠蝦皮商城：shopee.tw/crown_tw